T4-AVA-737

비룡소

# ❷ 리즈의 색깔 만들기

조애너 콜 글 · 브루스 디건 그림/ 노은정 옮김


1판 1쇄 펴냄—2003년 1월 24일, 1판 8쇄 펴냄—2013년 11월 8일

펴낸이 박상희 펴낸곳 (주)비룡소 출판등록 1994. 3. 17. (제16-849호)

주소 135-887 서울시 강남구 신사동 506 강남출판문화센터 4층

전화 영업(통신판매) 02)515-2000(내선 1) 팩스 02)515-2007 편집 02)3443-4318,9 홈페이지 www.bir.co.kr





ISBN 978-89-491-5082-6 74400 / ISBN 978-89-491-5080-2(세트)

어느 맑은 날 오후, 할머니는 키샤에게 담벼락에 무지개를 그려 달라고 했어요. 리즈는 너무 피곤해서 키샤를 도울 수가 없었어요. 아침 내내 키샤와 함께 꽃에 물을 주고 잡초를 뽑느라 지쳐 버렸거든요.

카를로스가 키샤를 도와주려고 왔어요. 카를로스는 노란색 페인트 통을 든 채 말했지요. “자, 시작하자!”

그 때 키샤가 주머니에서 무지개 그림을 꺼내며 말했어요. “카를로스, 잠깐만! 아무 색이나 무턱대고 칠하면 안 돼. 순서에 따라 칠해야지. 이 그림처럼.”

카를로스는 키샤가 펼친 그림을 보고는 아쉬운 듯 말했어요. “알았어. 근데 진짜 무지개가 뜨면 더 좋겠다.”

키샤가 고개를 끄덕이며 말했어요.
"맞아. 하지만 그러려면 비가 와야 해. 무지개는 햇빛이 빗방울에 부딪히면서 일곱 가지 색깔로 나누어져 생긴 거니까."

카를로스는 씩 웃었어요.
"일곱? 그건 내 행운의 숫자인데!"

**무지개의 일곱 색깔을 말해 보세요.**

키샤가 말했어요. “무지개의 일곱 색깔은 빨간색, 주황색, 노란색, 초록색, 파란색, 남색 그리고 보라색이야. 보라색은 내 윗옷 색하고 비슷해.”

“그건 나도 알아. 그런데 ‘나무색’이 뭐야?”

카를로스의 말에 키샤가 대답했어요.

“나무색이 아니고 남색이야! 어두운 파란색을 그렇게 불러.”

카를로스는 페인트 통을 가만히 바라보며 말했지요.

“근데 여기에는 무지개 색깔이 다 있는 게 아닌데?”

키샤도 페인트 통을 바라보았어요. “이상하다? 할머니가 무지개를 그리는 데 필요한 색은 다 있을 거라고 했는데……. 아무튼 시작해 보자. 칠하다 보면 좋은 수가 있겠지. 첫째는 빨간색이야.”

카를로스는 페인트 붓을 집어 들었어요.

“빨간색? 좋지! 내가 좋아하는 색이야.”

카를로스와 키샤는 무지개의 빨간색 띠를 그렸어요.

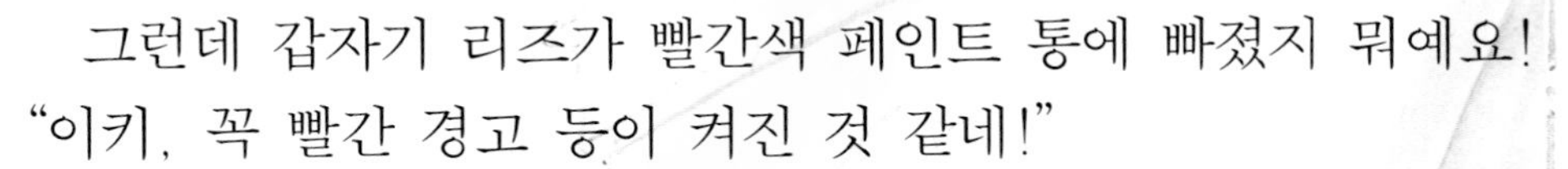

그런데 갑자기 리즈가 빨간색 페인트 통에 빠졌지 뭐예요!
"이키, 꼭 빨간 경고 등이 켜진 것 같네!"

카를로스의 말에 키샤가 대답했어요. "후유, 리즈는 나중에 씻어 주자. 지금은 주황색 띠를 그려야 하거든."

카를로스는 페인트 통을 쳐다보며 말했어요.
"맞아, 이번에는 주황색을 칠할 차례야! 어? 근데 주황색이 없잖아. 빨간색, 노란색, 파란색 그리고 이상한 이름의 색깔밖에 없어."
키샤는 곰곰이 생각한 뒤에 말했어요.
"틀림없이 무슨 방법이 있을 거야."

풍덩! 그 때 리즈가 또 노란색 페인트 통에 빠지고 말았어요!

카를로스가 리즈를 놀렸어요. “리즈, 너 정말 볼 만하다! 아까는 빨간색 통에 빠지더니 이번에는 노란색 통이야! 근데 노란색 통에 빠졌다 나오니까 주황색이 되었네.”

그러자 키샤가 말했어요. “리즈가 빨간색하고 노란색을 섞어서 주황색을 만들어 냈다면 우리라고 못 할 것 없지!”

키샤와 카를로스는 빨간색 페인트와 노란색 페인트를 섞어서 주황색 페인트를 만들었어요. 카를로스가 무지개의 주황색 띠를 그리는 동안에 키샤는 리즈를 씻어 주었어요.

카를로스가 장난스럽게 말했어요. "주황색아, 넌 리즈가 노란색 페인트 통에 빠진 걸 고마워해야 한다."

그 때 키샤가 얼른 말했어요. "야, 그런 농담할 때가 아니야. 무지개의 다음 띠를 그려야지. 노란색 띠 말이야."

카를로스는 노란색 페인트 통을 들었어요. "걱정 마. 간단해. 노란색은 원래 있으니까 색들을 섞지 않아도 돼."

카를로스와 키샤는 무지개의 노란색 띠를 그렸어요.

풍덩! 리즈가 파란색 페인트 통에 빠졌어요!

카를로스가 놀렸어요. "리즈, 너 새파랗게 질린 것처럼 보인다. 킥킥!"
키샤가 소리쳤어요. "또야? 난 몰라!"
카를로스는 노란색 페인트 통을 집어 들었어요.
"내가 리즈를 씻어 줄게. 노란색 페인트 통부터 치우고 나서 말이야."
그런데 갑자기 카를로스의 귀에 왱왱거리는 소리가 들렸어요.
"에잇! 이놈의 파리!"
카를로스는 손을 휘저어 파리를 쫓았어요. 아뿔싸! 카를로스는 그만, 들고 있던 노란색 페인트 통을 바닥에 떨어뜨리고 말았어요!

리즈는 노란색 페인트를 온통 뒤집어쓰고 말았어요.

카를로스가 말했어요. "앗! 리즈의 몸 색깔이 제대로 돌아왔어. 아까는 파란색이었는데 노란색 페인트를 뒤집어쓰고 나서 초록색이 되었어!"

키샤는 페인트를 유심히 쳐다보았어요. "음, 파란색이랑 노란색이 섞이면 초록색이 되는구나!"

키샤가 웃으며 말했어요. “잘됐다! 무지개의 다음 띠를 그리려면 초록색 페인트가 있어야 하는데.”

키샤와 카를로스는 노란색과 파란색을 섞어서 초록색 페인트를 만들었어요. 그리고 나서 담벼락에 초록색 띠를 그렸지요.

**초록색 다음에는 무슨 색이 필요할까요?**

카를로스가 무지개를 쳐다보더니 키샤에게 물었어요. “빨간색, 주황색, 노란색, 초록색은 칠했어. 다음엔 무슨 색이야?”

키샤가 대답했어요. “파란색! 이 파란색 페인트를 쓰면 돼.” 키샤와 카를로스는 무지개의 파란색 띠를 그렸어요.

카를로스가 말했어요. "다음 색은 뭔지 알겠다. 나무색이지?"

키샤가 대답했어요. "남색이겠지, 카를로스. 어쨌거나 맞았어. 파란색 다음에는 남색이야."

키샤와 카를로스는 무지개의 남색 띠를 그렸어요. 그런 다음 키샤가 말했어요. "마지막 색깔은 보라색이야."

카를로스는 페인트 통을 하나씩 살펴보았어요. "키샤, 보라색 페인트는 없는데? 무지개를 완성할 수 없겠어."

키샤는 리즈를 바라보았어요. "리즈가 페인트 통에 빠지는 바람에 색들을 섞으면 새로운 색이 만들어진다는 걸 알았잖아."

카를로스가 소리쳤지요. "바로 그거야! 색을 섞으면 보라색을 만들 수 있을 거야."

그러자 키샤가 대답했어요. "빨간색과 노란색을 섞으면 주황색이 돼. 파란색과 노란색을 섞으면 초록색이 되지. 그럼 빨간색과 파란색을 섞으면 어떻게 될까?"

키샤와 카를로스는 빨간색 페인트와 파란색 페인트를 섞었어요.

카를로스는 신이 나서 소리쳤지요.

"와! 이것 봐! 보라색이야. 우리가 해냈어!"

키샤랑 카를로스는 무지개의 보라색 띠를 그렸어요. 드디어 무지개가 완성됐어요.

키샤가 말했어요. "어서 빨리 할머니께 보여 드려야지."

카를로스가 웃으며 말했지요. "리즈도 얼른 씻어 줘야 해! 그냥 두었다가는 리즈하고 파리가 딱 붙어 버리겠는데!"

키샤는 수도꼭지를 틀었어요. 수돗물이 공중에 쫙 뿌려졌어요.
그러자 카를로스의 눈앞에 아주 신기한 것이 나타났어요.
카를로스가 소리쳤어요. "키샤, 이것 봐!"

키샤가 신기한 듯 말했어요. “와! 무지개잖아! 햇빛이 호스에서 나온 물방울에 부딪히면서 무지개가 나타났어.”

카를로스도 신이 났어요. “비도 안 왔는데 진짜 무지개가 생겼네.”

키샤도 씩 웃으며 말했지요. “이게 다 리즈 덕분이지 뭐!”

글쓴이 **조애너 콜**

《워싱턴 포스트》의 어린이 도서 협회에서 주는 논픽션 상과
어린이 책에 기여한 공로로 주는 데이비드 맥코드 문학상을 받았다.

그린이 **브루스 디건**

30권 이상의 어린이 책에 그림을 그렸다.
대표작으로 『세일어웨이 홈』, 『잼베리』 들이 있다.

옮긴이 **노은정**

연세대학교 영어영문학과를 졸업했다.
어린이 애니메이션 전문 번역가로 활동하고 있다.
옮긴 책으로는 「마법의 시간 여행」 시리즈, 『성공하는 여성들의 심리학』 들이 있다.